웃기고 싶다

-연극 개그맨-

웃기고 싶다

-연극 개그맨-

발 행 | 2024년 4월 19일
저 자 | 신대호
펴낸이 | 한건희
펴낸곳 | 주식회사 부크크
출판사등록 | 2014.07.15.(제2014-16호)
주 소 | 서울특별시 금천구 가산디지털1로 119 SK트윈타워 A동 305호
전 화 | 1670-8316
이메일 | info@bookk.co.kr

ISBN | 979-11-410-8202-4

웃기고 싶다

-연극 개그맨-

신대호

-웃기고 싶다-

등장인물

신진영
정대호
손동욱
임대구

대학로 소극장 개그맨의 꿈을 꾸는 그들
각자의 분야에서 열심히 활동했던 그들
이제는 설 무대가 사라져버린 그들
그들은 어떻게 위기를 이겨낼까?

우리나라는 개그의 천국이었다.
방송국에서는 코미디프로그램이
황금시간대를 장악하고 있었다.
국민에게 웃음과 감동을 주던 그들
웃음을 주던 그들이 이제는 슬픔에 빠져있다.
다시 한번 그들은 웃기고 싶다.
다시 웃음을 전하고 싶다.

#.1 추억의 무대

진영   여러분 안녕하세요 공채 개그맨 신진영입니다.
       오늘 공연 여러분들의 배꼽을 책임질 내용으로만
       꽉 차있습니다.
       제일 중요한건 여러분이 티비에서 보셨던 개그는
       싹 빼고 방송국에서 하지 말라고 하는 것만
       싹 넣어 준비 했습니다.
       저희 개그수위가 조금 높습니다.
       남친 있다고, 여친 있다고 저게 뭐야 하면서 불평
       하는 척 마시고
       어차피 공연 끝나면 집에 가서 아까 진짜 웃겼어,
       집에 가서 웃지 말고
       이 자리에서 웃고 가세요, 자 신나의 개그공연 출
       발합니다. 박수와 환호성

동욱   형...뭐해?
       연습해? 누가 보면 미친놈인지 알겠다.

진영   뭐가? 혹시 모르니까 연습하는거지!
       개그프로그램이 사라졌다고,우리가 사라졌냐?
       웃기고 싶을 땐 웃겨야지

동욱   참 웃기고 자빠지셨습니다.
       그런거 그만하고 다른 일해

이제 먹고 살아야 할 거 아니야!

진영   나는 개그로 먹고 살거야!!

대호   아 그만 좀 해라 개그로 어떻게 먹고 사냐?
　　　　내가 그랬지?
　　　　개그는 조만간 다 사라질 거라고, 내가 그랬잖아
　　　　개그하는 친구들이 점점 줄어든다고

진영   왔어?

동욱   아이구 우리 선생님 오셨네

대호   무슨 선생님, 선생님은 무슨

진영   그래도 너는 강의 하면서 먹고 살잖아

대호   형 그런 소리 하면 섭해...
　　　　개그맨을 안뽑는데..누가 개그과에 오냐
　　　　그러게 좀 잘하지

동욱   뭔소리야?

대호   아니 니네가 못 웃끼니깐 사람들이 안보는거
　　　　아니야! 그러면서 개그하는 애들도 사라지고,
　　　　벌써 2군데 강의 없어졌다고 연락왔어.

진영   그게 우리 탓이냐? 방송국 탓이지.
       세상은 변하는데 이거하지마라
       저거하지마라! 손발은 다 묶으면 어떻게 웃기냐고!

동욱   공채도 아닌게 저딴 소리 지껄이니깐
       우리가 부정타는거야

대호   하... 나는 매주 봤다.
       진짜 재미없는거 내가 얼마나 응원했는데
       그 사람들한테 실수 한거야,
       그리고 우리 학생들한테도...
       다들 목표를 잃었어...목표를 잃으니깐
       지원도 안하고, 랩퍼가 된다나 어쩐다나

진영   그게 우리 탓이냐!
       저놈은 말하는게 맨날 부정적이야!
       시대가 바꾼거라고!
       인터넷으로 너튜브 보면 하지 말랜걸 다하고
       방송국에선 그 부분을 따라가지 못한 거고....
       아니 할 수가 없는 거고
       그것도 모르면서 개그 분석하고, 안 웃기다고 칼럼
       올리냐!

대호   나야 고생하는거 알지, 하지만 대중이 볼 때는...
       요즘은 다 평론가라고

동욱 솔직히 이야기를 하던가!
     너만 공채 안되고 괜한 우리 탓하는거아냐?

진영 공채도 아닌게 말을 저따구로 하지?
     사람이 좀 긍정적으로 말해라

대구 뭐해? 싸우냐? 형들은 지겹지도 않아 볼 때 마다
     싸우고, 액션으로 전향을 해!
     맨날 싸우는거 지겹지도 않냐!
     특히 형은 집에서도 싸우고 밖에서도 싸우고
     이거나 먹고 속 차려

진영 대구 왔어? 근데 이게 뭐냐?

대구 건강음료 오늘 전주에 있는 포도농장 촬영 다녀왔어
     29,000원 이면 세트로 준다고 하네~
     단역배우가 촬영 있음 바로가야지

동욱 맛 좋네...배우 대접이 좋아

대구 맛 좋지? 이거 좀 써줘

동욱 와! 우리한테 영업하냐?

대구 좀 해줘! 내가 촬영가서 '사장님들 다 걱정마세요'
     라고 했는데, 그런디야~ 내가 더 팔아줘야

벼룩마켓 광고를 한번 더 주지

대호   역시....준비 없는 사람들 같으니라고, 가서
돈을 벌어야지 영업일을 받아오냐?
그러니깐 배우대접을 못 받지

진영   너 가라! 악에 기운이 차는거 같다 그냥가라

동욱   진영이형 좀 보내라 제발, 지가 모이자 해놓고
싸운다. 대호 말은 듣지 말고, 그리고!!
대구야 나도 이거 써 줄테니깐, 너도 써주라

대구   무슨 서류인데 쓰라는 거야? 뭐야? 종합보험?

동욱   응, 계약서

대구   계약서? 계약서... 받고 죽고 싶냐? 치워라
어디다 이딴 걸 디밀어

동욱   죽으면 타는거 말고, 살아있을 때 타는거 줄게
아 대구!! 같이 상부상조 하는 거지

대호   (박수친다) 장하다 장해! 힘들게 공채되서 뭐하냐?

진영   공채도 아닌 사람은 좀 빠지시고

대호   그럼 여기 불러 모은 이유가 뭐야?
         싸우는거 구경하라고?

진영   그래 모이라고 한 이유가 뭐야?

동욱   그러게 우리 그것도 모르고 이러고 있냐?

진영   내가 왜 소극장으로 불렀겠냐? 생각들 좀 해봐라

대호   왜? 이 극장 대관료 밀렸어?

동욱   무슨 자선사업가처럼 극장을 빌리더니
         아 형...대관료는 형이 좀 알아서 해

대구   그래 형 이제 욕심 좀 버려,
         누가 개그를 보러오냐?

진영   개그를 한다는 애들이, 그렇게 개그에 비관적이냐

대호   뭐하게? 대관료도 못 내면서 공연하게?
         무슨 공연 어린이극?

진영   응 공연... 공연하고 싶어서...
         방송 사라졌다고 다들 집에서 쉴거야?
         계속 보험하고 건강음료 팔거야?
         대호 너도 개그맨지망생 줄어든다며?

좀 미래 지향적으로 좀 봐라

대호 그래서 너희 셋 다 공채, 특채 타이틀 달고 쉬냐?
     나는 수업이라도 하지!
     지난번에 준 특강은 왜 안하냐!
     어렵게 만들었는데!!!

대구 대호형 나이 나보다 많아 좋겠어

대호 왜?

대구 형만 아니면 죽여 버리는데

동욱 나도 그 생각했어

진영 그건 나도 동감인데, 그래도 같이 해야지
     기억 안나?
     우리 다들 개그하려고 여기 모인거잖아
     이 소극장에서 개그맨 되겠다고
     다들 열심히 했잖아~
     그때로 다시 돌아가 보자는거야.

대호 나는 개그맨 아니다 코미디언이다.
     연극과 영화에서 웃기는 코미디언

대구 나보다 출연작도 없으면서

대호   나는 대사라도 있었지! 뭐 단역이나 하면서

대구   나도 대사 있어

대호   뭐? 악! 윽! 헥! 이런거

대구   으~악 흐흐흐 좀길지?

대호   자랑이다! 단역배우!

대구   형 동생한테 안터져 봤지? 옛날부터 때리고 싶었어

동욱   쫌!!

대구   형..누가 개그봐...정신좀 차리세요 신진영씨
        나는 지금 촬영 다니고 홍보일하는 것도 바뻐!

대호   나도 갈래 이런 일은 전화로 하시지 그랬어!
        대학로 나는 근처도 오기 싫어...
        옛날 생각 정말 싫어

대구   공연...그립긴 하다..나도 공연하고 싶은데..
        그땐 다들 고생하면서도 즐거워 했는데..

진영   그래 그때로 돌아가 보자고! 오케이?

동욱   그걸 누가 보냐고!

진영   그래 안 볼 수도 있지...근데...
      우리도 우리이야기를 무대에서 풀 순 있잖아...
      그런 일이 일어 나면 안되겠지만
      개그맨이라는 직업이 사라져도 우리가 만든 연극을
      보면서 '아 개그라는게 있었구나' 알 수도 있는거고

대구   슬프네... 개그라는게 있었구나 이말이

진영   인정해야 하는 건 인정해야지
      그래도 우리가 있었다...(울컥이다)

대호   뭐 훔쳐 먹었냐?

동욱   진짜 뒤진다.

진영   무대에서 알리고 싶거든
      우리는 은퇴식도 없었잖아 우리끼리 은퇴식을 하는
      거야! 마음은 아프지만

대호   은퇴 좋네...사라졌다고 하는거야...
      나처럼 좀 살아봐라 제발

진영   저기 망치 좀 줘봐 찍어버리게

대호　알았어…알았어…
　　　나도 '개그맨이라는 직업이 있었다'이런 부분 좋다
　　　알리는데는 동의해! 나도 개그맨을 양성하는 일을
　　　하고 있으니! 근데 무슨 이야기를 할 건데?

진영　무슨 이야기? 그냥 우리 이야기
　　　사람들이 모르는 개그맨이 되는 이야기
　　　그냥 웃기는 모습만 봤지. 우리가 개그맨이 되기
　　　전 까지 과정은 모르잖아

대호　형 개그맨인지 모르는 사람 많아

진영　야! 저놈 입 좀 막아봐
　　　아무튼 그런 과정을 알리고 싶어!
　　　개그맨이 사라져도 연극을 보며,
　　　개그맨의 과정과 개그맨이라는 직업을 잊지 않고
　　　살 수 있도록 그게 이 연극의 주제야

동욱　복잡하다. 형은 그래서 못 뜬 거야, 이야기를 참 복
　　　잡하게 해! 그 단순한 이야기를

대구　간단하네!
　　　우리이야기 하면 되는 거네, 우리이야기를

대호　아 기억하기 싫다 그만하자! 난 갈래 그거 한다고
　　　개그가 다시 부흥 하냐? 이상한 짓 하네

진영   좀 긍정적으로 생각해라
       그냥 은퇴식이라고 생각하고 무대에서
       우리 이야기를 하자고
       돌아가 보자 우리 처음 개그맨의 꿈을 꾼 순간으로

동욱   나는 아직도 꿈꾸는 중이야 가서 잘래...

대구   나는 개그맨 아니다 배우다

대호   다들 이제 돌아섰어~좋아! 좋은자세야!

진영   대호야 닥쳐줄래
       다들 방송보고 개그맨 꿈 키웠잖아
       그때를 생각해 보자고 우리가 돈이 필요했니?
       그냥 웃기는게 좋았잖아
       그 기분만 생각해보자

대호   나는 단언컨대 너희 셋 개그보고 웃은 적 없어,
       한번도

동욱   불꺼

암전

아아악 아아악 (조명이 들어온다)

혼자서 맞는 척 연기하고 있다

대구　뭐해?

진영　봐봐 저렇게 본능적으로 개그치고 있잖아
　　　해보자 (암전)

대호　그냥 몸에서 나와

동욱　동의?

대구　나도

대호　그러자

진영　오케이 가자!

#.2 시작의 무대

NA진영   (부산 사투리)어머니 아버지 다녀오겠습니다.
         아 걱정하지마세요. 서울에 살집도 있고, 다 준
         비 되어있어요 건강하시구요. 티비에 곧 나올거
         니깐 기다리세요 다녀올께요

NA대호   아 걱정하지 말라니깐
         내가 그 애들 못이길 까봐? 내가 다 쓸어 버리
         고 올게! 개그로 싸악 쓸어버릴께
         암튼 저 가면 용돈이나 자주 보내세요.
         걱정하지마! 나는 일등아니면 안해

NA동욱   필승! 어머니 다녀오겠습니다
         걱정하지 마십시오.
         저 대한민국 특수부대 공익입니다.
         공원관리하면서 어르신들 많이 웃겼습니다.
         서울사람들 웃음하나 못 잡겠습니까?
         다 잡고 오겠습니다.
         그러니.. 그러니...건강하세요
         공채되고 내려올께요

NA대구   아니 걱정 좀 하지마
         이제 내가 하고 싶은 것 좀 하게
         나 그동안 돈 벌어줬잖아
         그걸로 딱 1년만 버티세요! 내가 1년 안에

성공 하고 올거니깐 알겠지?

NA ALL
다녀오겠습니다.

무대는 밝아지며

대호는 소파에 누워있고, 동욱은 청소를 하고 있다.
그리고 대구는 연기연습중이다.

대호   야! 바닥 좀 잘 닦어...
        너 저번에 나 미끄러진거 못 봤어?
        소품 좀 제대로 챙겨놓고

동욱   네, 근데 내가 선배 아니냐? 확씨!

대호   학교에서만 선배지 데뷔는 내가 빠르다

대구   어 노땅들! 나 촬영있으니깐 연기연습 좀하게
        조용히 청소해라
        (대구는 대사연습을 한다)

동욱   많이 컸네~ 학교 밖이라고~ 편해졌네
        야.. 그나저나 새 코너 안짜?
        대표님이 새 코너 검사한다던데

대호　야..적당히 해 지금도 내 코너 빵빵터져
　　　어제도 못 봤어? 나만 나가면 빵빵이야...
　　　너나 코너 짜 개그맨을 하러왔냐?
　　　청소를 하러왔냐? 맨날 청소만 하냐?
　　　아우 개그무식자들

진영이 가방을 메고 들어온다.

진영　안녕하세요 이번에 신나크루에 합류한
　　　정진영이라고 합니다.

동욱　아 진영씨 이번에 오디션 합격해서 합류한다고

진영　네 맞습니다.

동욱　와!!! 청소 벗어났다 청소!!

대구　자기소개 좀 해보세요!

진영　네 저는 80년생 신진영입니다.
　　　특기는 비트박스입니다.

동욱　뭐? 80년생...? 아 청소 안 빠지네

대호　나보다 형이네...

대구   아 형님이시구나~

진영   제가 제일 나이가 많나요?

대호   네..맞아요..근데...우리 극단은 선후배 따집니다.
        그러니깐 존댓말 쓰세요 아시겠어요?

동욱   어머 대호씨 그렇게 어디있어? 니 맘대로야?

대호   오늘부터 생겼어...야! 동욱 걸레 저 사람한테 넘겨

동욱   진짜? 그럼 있는거지! 여기! 막내 그 해야 할 일이
        있어요 특기를 보여줘야죠

진영   네 저 비트박스 해보겠습니다.
        (진영은 비트박스를 한다.)
        그런데 멋도 없고, 웃기지도 않다.

대호   와...저게 개그냐? 미치겠네...
        아우... 또 희망만 품은사람이 또 오셨네

대구   형 나 시간됐어...촬영 다녀올게..

전화를 받는 대호

대호   네 대표님...신진영 왔구요..대구는 촬영 갔습니다.

공연 준비 차질 없이 하겠습니다.
아 7시 공연이요 네 그리고 9시 공연
네 준비 하겠습니다. 야~!!!! 준비해

동욱   공연준비?

대호   말이 그렇다는 거지, 오늘...관객 없다.
접을 준비해 집에 갈 준비 내일 아침 9시 공연있음
매표소 문 닫는다. 용돈 받겠다.

대호는 밖으로 퇴장한다.

진영   저기 선배님 오늘 공연 없는 건가요? 그리고
아침 9시 공연도 있어요?

동욱   네..형 아참 선배가 어디 있어요...
그냥 동생입니다. 편하게 하세요

진영   그래...근데...이렇게 공연 없으면 그냥 들어가는
거예요? 아침부터 공연이라니?

동욱   항상 그래요, 관객이 1명이라도 있으면 공연하고,
없으면 집에 들어가구요. 지금 예약 아무도 없는거
예요~ 아침공연은 단체관람있을 때 하구요~

진영   그럼 월급은 어떻게 되요?

동욱   몰랐어요? 저희 월급 그런거 없어요
공채 될 때까지 공연 계속하는 거죠
예정에 없던 단체공연 있으면 대표님이 별도로
공연비를 주세요~ 아! 가끔식 회식있네요! 회식!!
전 그날만 기다립니다.

진영   그럼 다들 다른 일 하면서 하는 건가요?

동욱   네..저는 이거 끝나면 바에 가요

진영   술 마시러?

동욱   아니 칵테일 만들어요. 일주일에 한번 라디오 녹음
하고, 큰돈은 안되도 열정으로 하는거죠
아까 그놈은 알바로 라디오방송 대본 쓰는거 하고
대구...대구는 단역촬영 알바 촬영 다녀요

진영   촬영요?

대호는 매진임박 판을 들고 다시 들어온다

대호   네 보조출연 알바 있잖아요, 촌사람은 모르나?
대사도 가끔씩 하고
지난번엔 윽하고 죽었는데..이번에는 으악하고
죽는다고 연습만 계속하다 갔어요

진영   다 이런 식이군요. 근데 부산시골 아닌데?

동욱   다들 공채만 바라보고 하는거죠
　　　　공채가 되면 모든게 풀릴테니깐
　　　　형 이제 말 좀 놔요...되게 어색하네..
　　　　그나저나 잘데는 있어요?

진영   아니요...오디션보고 바로 올라온거라

동욱   극장에서 주무세요, 다들 극장에서 자요
　　　　저는 출근해 보겠습니다.
　　　　공연없을 땐 일찍가서 알바하면, 먼저 온 사람
　　　　시급을 주거든요, 그럼 가보겠습니다.

진영   네...

동욱   형! 편하게!

진영   응..다녀와

대호   뭐냐? 우린 전주입니다. 저는 갑니다.

동욱,대호 퇴장한다.

진영은 극장에 누워 잠을 청하려 한다.

잠이 오지 않는 진영
자리에서 일어나 아이디어 노트를 꺼낸다.

진영   전주가 더 시골이네!!
　　　나는 꼭 공채가 된다. 공채가 된다.

　　　(울리는 전화)
　　　아 엄마 엄마 밥은 먹었나?
　　　아빠는 어떻고?

　　　서울 서울 좋네
　　　큰 회사라 그런가 숙소도 주고, 회식도 한다카데
　　　어 기다려줘! 다들 개그맨 금방 된다 하니,
　　　아무 걱정 마라

　　　어 알겠다.

　　　전화를 끊는 진영

　　　그나저나 내가 비트박스하는게 안웃기나 보네

홀로 스탠딩 개그를 연습한다.

암전

#.3 바라본 무대

대호   안녕하세요 안녕하세요
       무슨 일이 있던 먼저 나서는 개그맨
       동해번쩍 필요할 때 나타나는 개그맨
       동해번쩍 서해번쩍 언제 어디서나 나타나는
       개그맨 전대요 아니고 정대호입니다.

       반갑습니다.
       오늘 굉장히 많은 분들이 오셨네요
       뒤에 보지마세요..암도 없어
       오늘은 관객이 4명이네요
       오늘 출연배우가 3명이네...거의 1:1 레슨식으로 웃
       겨드려야 겠네요
       자 첫코너 출발합니다. 뜨거운 박수와 환호성

동욱   안녕하세요 인간 복사기 손동욱입니다.
       오늘은 여러분이 좋아하는 영화 속 주인공들의 대
       사를 제가 한번 보여 드리겠습니다.

       안녕하세요 성식이형 성식형입니다.
       오늘영화 소개해 드릴께요

       (성대모사로 1인극을 하는 동욱)

       감사합니다. 다음 코너도 함께 봐주세요

대구   안녕하세요 국내최초 성대모사 아닌 표정모사를
       하는 배우출신 개그맨 임대구입니다.

       자 영화 속 주인공들을 여러분들이 만나 보실수 있
       습니다.

       (대구는 영화배우들의 표정을 연기한다)

암전

다시 밝아지면

대구의 개그가 끝나면
동욱과 대구는 혼나는 자세로 서있다.

대호   이게 개그야? 이게 개그냐고?
       너희들은 혼나야 겠다! 다 올려! 다올리라고!

동욱과 대구는 손을 올린다.

대호   똑 바로해 (스윙) 똑 바로해 (스윙)

동욱   너나잘해 (스윙)

암전

박수소리와 함께 등장해 무대인사를 하는 세명
소리가 줄어들면 미소가 갑자기 사라지는 대호

대호   야 동욱아 여기서 이 따구 대사를 치면 어떻게 해!

동욱   그럼 니가 코너를 짜던가!
        맨날 빨대만 찔러놓고 하는게 뭐가 있어

대구   아 왜 그래요~ 싸우지마요~ 공연 끝났으면 됐잖아

대호   야! 무슨 빨대야 이 코너 내가 다 살리는데!
        요즘 방송 좀 한다고 눈에 뵈는게 없냐?
        아주 연예인이 다 되셨네~
        그럼 대구는 슈퍼스타겠네

대구   형 말이 조금 심하네
        눈에 뵈는게 없다니...
        지는 젤 먼저 들어와서 코너도 하나 못 짜면서

진영   왜 그래요 선배

대구   왜 내가 촬영하러 다니니깐 기분 나뻐?
        맨날 대본만 쓰면서
        출연은 못하니까 속상하디?

동욱   맞네 나도 중간 중간 라디오가는거 엄청 부러워 하

더니만~ 다 티나 임마!

대호   만지지마...어디서 만져 들어 온지 얼마나 됐다고,
　　　　내가 공채되기만 해봐 니들 다 뒤졌어
　　　　내가 아예 방송국 문 앞에서 막을 거야

극장 밖으로 나가버리는 대호

진영   괜찮아요? 왜들 싸워요...

대구   그럴 일이 있어요.
　　　　무대에 올라가는 코너들 원래 있는거 아니예요.
　　　　저희들이 매주 새로 짜야해요, 근데 코너를 짜기는
　　　　커녕 짜놓으면 끼워날라고만 하니깐
　　　　저희도 스트레스죠

동욱   맨 처음엔 저놈도 코너를 짰었는데...뭔일이 있는
　　　　지..자꾸 회의에 참석을 안해요~
　　　　제일 적극적으로 짰었는데.

진영   그럼 이번엔 제가 짜볼께요..
　　　　다들 머리 아픈거 같은데..저 이만큼 준비해왔어요

동욱   우와

대구   우와

진영   왜요?

대구   (진영노트를 읽어본다) 형

진영   어때요?

동욱   재미가 재미가 1도 없어요

대구   이거 대호형 다시 불러와야겠는데 이게 뭐야?

동욱   형 이런거 하면 방송국 못 들어가요
개그는 방송용으로 짜야해요~
동네에서 웃기던거 다 비속어 들어가고, 이런거는
그냥 무대에서 쓰고 버리는 거예요.
형 공채 될 거 아니예요? 그럼 방송용을 짜야지요

진영   방송용?

동욱   형 여기다 웃길 줄 아는 사람들이예요,
근데 왜 다 공채가 못 되었겠어요?
그 방송용에 맞게 짜는 사람들이 살아남는거죠

대구   1년에 개그맨시험을 많을땐 2000명
적을 땐 1000명 가까이 봅니다.
그중에 반 이상은 형처럼 짜신거고
개그 좀 한다는 1000명중에 10~15명 정도만

공채에 붙는거예요.
기회는 1년에 한번! 그 1번을 위해서
이렇게 고생하는거구요.

동욱　　그 고생을 하며 10명 안에 들려고
　　　　이렇게 다들 극장에서 공연하고 연습하는 거예요.
　　　　관객이 없으면 반응을 살필 수도 없으니까

진영　　그렇구나..그럼 다들 공채는 몇 번봤어요?

대구　　대호형은 19살 때 부터 봤으니깐 7번 저는 4번
　　　　진영이형은 안 봤고 맞죠?

진영　　아직 배워야 한다고 생각해서요
　　　　나도 처음인데..그럼 둘이서 나 코너 짜는 것 좀
　　　　도와줄래요?

동욱　　그래요. 난 오늘 알바 없으니까
　　　　나도 대호랑 7번 봤어요~ 그냥 나도 새로 짤래

무대 옆 등장하는 대호

대호　　여보세요 네 선생님. 원고는 다 보냈는데...
　　　　이제 정산을 해주셔야죠!
　　　　네? 무슨 말이 그래요?
　　　　아니 대본을 다 써서 방송도 하셨으면서

편당 원고료 주기로 하셨잖아요!
아니 개편 들어갔다고 돈을 못준다니요?

계약서요? 아니...계약은 아저씨 아저씨

아 진짜 미쳐버리겠네 이런 놈이 다있어
개그한다고 사람을 웃기게 보네

(다시울리는 전화)
어 지영아 어? 그래..그래...
너 고생하는거 알지 오빠가 항상 미안하다.
그래 건강하고, 항상 미안하다 내가 꼭 공채되면
꼭 갚을께...그래...고맙다.
인사? 응 내가 공채되면...
공채되면... 인사갈게 알겠지
그 지영아...(호주머니에 텅빈 것을 확인하고)

어어 아니야! 응 끊어

무대로 들어오는 대호

대구   형 우리 코너좀 봐줘

대호   무슨 코너

진영   대구랑 저희 새 코너 짰는데요

대호   나 빼고?

동욱   아니 대호 끼워줘! 또 지랄 한다.

대호   뭐?

동욱   아 너 끼워 짜셨다고요~ 진상아 이 정진상씨

대호   (기분좋아지며) 해봐

동욱,대구,진영 은 개그코너를 선보인다.

진영   안녕하십니까 속 갑갑한 뉴스 디엠비 뉴스입니다.
        어제 밤 .... 그래서....이렇게...입니다.

대구   현장에.... 감사합니다.

동욱   일기...끝입니다.

대호   겁나 재미없네.. 그게 코너냐?
        내가 발로 짜도 그거보다 잘 짜겠다.

동욱   짜봐~ 발로 짜봐

다시울리는 전화

대호   잠깐만! 네..대표님 네...오디션이요?
       네 알겠습니다.
       야 외주감독님이 오셔서 리포터 뽑는데...
       오디션 준비해라
       빨리 청소도 좀하고

진영   왜 그래요?

대구   가끔씩 방송국이나 기획사에서 와서 오디션 봐요
       그리고 뽑아가요

진영   진짜요?

암전

#.4 오디션 무대

대호   안녕하십니까 감독님 저희 개그팀 신나크루
      오디션을 진행하겠습니다.
      첫 번째로 제가 시작하겠습니다.

      안녕하세요 리포터 정대호입니다.
      오늘은 전북 임실에 나와있습니다.
      할아버지 한분 만나 뵐께요~

      대호야~ 니 애비 잘 있다
      김영감네는 아들이 오리털 잠바 사줬단다
      나는 필요없다.
      콜록 콜록 감기나 걸리면 되시

감독   그만

동욱   안녕하십니까 감독님 제가 해보겠습니다.
      안녕하세요
      고향의 소식을 다양한 연예인들이 전합니다.

      안녕하세요 성식이형입니다.
      오늘 고향에서 매미소리 들으면서
      우리 식구들 잘자요

      이번에는 무해진입니다.

안녕하세요 그 고향은 말이예요.
걸어오는게 좋아요
소울음소리 매미소리 아 이거이거 좋단 말이지
헤헤헤

감독   그만

대구   안녕하세요 임대구입니다.
저는 고향에 간 영화배우 살모사 해보겠습니다.
얼굴 살로 고향의 모든 맛을 표현 해 보겠습니다.
고향의 매운맛!
고향의 진한맛!
고향의 손맛!

감독   그만

대구의 리포터 오디션이 끝난다.

암전

진영   오디션 잘 봤어요?

대호   몰라요 아 암도 안 웃는데 짜증나게

대구   나는 좀 웃던데

진영   아 그렇게 보였어요? 나는 아무것도 안보이던데

대호   아...좀 하면 보여요, 무대 밥 좀 더 먹어요

동욱   가끔씩 귀신도 보는데...
        심사위원은 이상하게 안보이네요

진영   그렇구나..저도 오디션을 곧 볼 수 있겠죠?
        그나저나 저거 되면 어떻게 되는 거예요?

대구   네...케이블인데 리포터 되는 거예요.

진영   저런게 자주 있어요?

동욱   아니요...자주는 없고,
        먼저 공채된 선배들이 대표님한테 연락을 해줘요
        그래야 같이 하니깐요. 신나크루 출신들 많잖아요
        선배들이 공채 만들어주는건 아니니깐

대호   아 모르겠고 오디션도 봤겠다.
        다들 소주나 한잔 합시다.

동욱   니가 쏘냐?

대호   아니..

대구   그럼요?

대호   가위바위보

동욱   아이 진짜 죽여버릴까!

대호   아니야...나 지영이가 용돈 보내줬어...
       가서 사올게...대신 오디션 합격하는 사람이
       열배로 쏘기 오키?

대구   알겠습니다.

대호는 소주를 사러나가고

진영   지영이가 누구예요?

대구   몰라요? 한지영?

진영   개그우먼?

동욱   네...맞아요...한지영...쉿!
       공채 개그우먼 한지영, 대호형 여자친구 잖아요

진영   그럼 공채되면 한지영씨 후배가 되는거네요

대구   맞아요 그래서 대호형은 그 방송국 시험 안봐요,

방송국에서 만나면 여자친구 피해줄거 같다고...
그래서 GBS만 시험봐요.
중요한건

진영   중요한건?

대구   실력이 없는데, 어떻게 붙지?

동욱   하하하 맞어 맞어...
대호야~붙고 나서 따지라~지 실력은 생각도 안해
나는 NBS GBS 다 볼껀데...
그런게 어딨어 무조건 되고 봐야지

대구   형도 여기저기 여자친구 였던분들 게시지 않아

동욱   없다 걱정마라, 있었어도 없는 사람 취급할거다

대구   가끔 나오는거 같던데?

동욱   그럼 나도 깐다! 조용히 해라

진영   나도 두 개 다 볼 껀데...
그래도 개그는 역시 GBS지

뛰어들어오는 대호

대호   자 소주가 왔습니다. 소주가 왔습니다.

동욱   나 이럴 줄 알았지 과자하고 또 냉동식품이네

대호   그냥 먹어라

대구   형 이렇게 사올 돈이면 나가서 사먹겠다 바보야

대호   말이 되냐? 사먹으면 누구배로 다 가는데?

대구. 진영, 대호 동욱을 바라본다

동욱   아나 쒸!!!

대호   자 자 그러지 말고 진영씨 입단 기념으로,
            그리고 오디션 마친 기념으로
            한잔 하겠습니다. 다들 술 따르시고...
            자 하나 둘 셋 개그팀 신나

전화울린다.

동욱   여보세요 네..손동욱 입니다. 네..네..
            정말요? 감사합니다. 감사합니다.

대구   무슨 일인데...

동욱   야...나야...

대호   뭐가 나야 인데

동욱   오디션

대구   형 된겨?

동욱   내가 된겨

대구   우와 축하해

진영   축하해요

대호   축하한다! 동욱아

동욱   다들 고마워 진짜 근데...나 지금 가봐야 될거 같아

대구   왜?

동욱   내일 바로 실습이래.
       내일 선배 리포터 따라가서 보고,
       담주부터 내가 하는거라는데

대호   그래...그래 얼렁들어가

동욱   나갈게 고마워 내가 10배로 쏜다. 간다

동욱은 무대를 떠나고 풀이 죽은 대호와 대구

대호   아 또 떨어졌네...나는 맨날 이러냐
        그래도 동욱이가 돼서

대구   정말 다행이라고?

대호   아니! 아 나 좀 한것 같은데 배아프네

대구   나도 이번엔 좀 웃긴것 같았는데

동욱 다시 들어오면서

동욱   아~ 아~ 야! 너희 배아픈거 아니지?

대구   응? 왜그래

동욱   배가 아~ 고파서

바닥의 냉동식품을 가지고 도망가는 동욱

대호   야!

대구   아이씨!

진영 괜찮아요 또 기회가 오겠죠
     우리 리포터 할려고 개그하는거 아니잖아요?
     공채 되려고 하는거지

대구 그것 땜에 그런거 아니예요
     저 형이 먹을거 가져가서 화난거예요

대호 잘한다 임대구

대구 그리고...리포터가 별거냐 공채개그맨이 있는데

대호 그래 맞다..,우리가 더 잘되면 되지 안그래?
     나 리포터 해봤어 힘들어~ 개그로 얼굴 알려야지

진영 그럼 되죠. 한잔합시다. 개그팀 신나

대호 아 형 그만 존댓말 해요.
     사실 우리 신나크루 그런거 없어요. 편하게 해요

진영 그..그래...대호씨

대호 아 씨는 뭐야?

진영 그래 대호

대구 그래 대호야

대호   야 너는 아니고, 암튼 오신거 축하하고요
　　　　남은 사람이라도 잘 해봅시다.
　　　　그리고 대구 너 이제 바람 잡아라
　　　　아까 오디션 하는거 보니깐 나보다 좋던데...
　　　　살모사 너무 좋아
　　　　니가 시작해 그래야 분위기 더 좋을거 같아

대구   진짜요? 감사합니다.
　　　　개그고 얼굴이고 내가 좀 좋지?

대호   앞으로 바람잡을 때 불끄고 나레이션으로만 할거야

대구   야 그게 뭐야!

대호   장난이야 장난!

암전

#.5 대구의 무대

대구는 긴장된 마음으로 무대를 준비하고 있다.
중얼중얼 기도를 한다.

대구   어머니 아버지 드디어 제가 바람을 잡습니다.
      아시죠?
      개그공연에서 바람이 제일 중요해요
      가장 인기 있고 재미있는 사람이
      바람을 잡는거예요
      지금은 제가 소극장에서 바람을 잡지만
      이제 방송국 공채가 되어서
      방송시작과 끝을 책임지는 개그맨이 되겠습니다.
      이제 시작입니다. 파이팅!! 이제 시작입니다!

기도가 끝난 대구

대구   여러분은 안녕하세요! 개그팀 신나 콘서트를 찾아
      주셔서 감사합니다.
      여러분과 함께 1시간 동안 즐거운 공연 함께 할텐
      데요. 자! ~ 지금부터 임대구와 함께 하시죠

대구의 바람타임

자 첫 순서 소림무공 정선생 입니다.

대구   여러분 안녕하세요 오늘은 여러분과 무술의 세계로 빠져 보겠습니다. 소림사에서 오신 정선생님

진영   안녕하세요 소림무공

대구   정선생님

진영   아니 조수입니다.

대구   옆에 나오신 분이 정선생

진영   네 정선생님은 현재 묵언수행 중이십니다.

대구   한국에 오신 기분을 좀

대호   아주 즐겁고 행복합니다. 여러분 사랑합니다.

진영   선생님 묵언수행??

대호   안나양!

진영   불꺼!

(관객의 반응에 따라 개그를 더 진행한다.)

암전

대구　다음 코너는요 우리 막내 신진영의 코너입니다.
　　　단독 첫 코너라서 긴장이 많이 될텐데요,
　　　여러분의 큰 응원이 필요합니다
　　　개그는 웃겨봐라하는 자세가 아니라!
　　　다같이 웃어보자라는 생각으로 보는 겁니다.
　　　자 신진영의 첫 코너 출발합니다.

신진영 개그코너를 진행한다.

진영　안녕하세요 저는 염력 개그맨 신진영입니다.
　　　저를 위해서 한분 나와 주시겠습니까?

(관객석의 대호,대구가 등장한다)

　　　저는 이 의자에 누워 주시길 바랍니다.
　　　제가 하나 둘 셋 하면 최면에 걸리는 겁니다.
　　　최면에 걸릴때는 꽥이라고 외쳐주시면 됩니다.

　　　최면에 걸려라 최면에 걸려라 뾰로롱
　　　(관객은 최면에 걸리지 않는다)
　　　저기요 선생님, 선생님께서 최면에 걸리지 않으면
　　　코너가 끝나지 않습니다. 제발 최면에 걸려주세요
　　　최면에 걸려라 최면에 걸려라 뾰로롱

(관객의 반응에 따라 개그를 더 진행한다)

코너가 끝나고 암전된다.

대호 진영이형 죽인다. 죽여 아주 반응이 빵빵하네!
      친구왔어? 친구 온 거 같아 확실해!

대구 좋은데..언제 이런 개그를 짰어요? 최면 좋네!

진영 오디션 보실 때, 저는 시간이 남았잖아요.
      그때 다 짰습니다.
      혼자서 해보려고

대호 너무 잘 해 ~
      그리고 크게 웃는 사람 친구 맞는거 같아

진영 아니예요

대구 진영이형 얼 똑똑해...나는 살모사만 계속 파는데...
      다르네 신진영

진영 또 한번 짜보겠습니다. 다같이 최면에 걸려라 최면
      에 걸려라 뾰로롱

대호, 대구 꽥 (소리와 함께 쓰러진다)

정장을 차려입은 동욱이 등장한다

동욱   잘 있었어?

진영   와 ~ 잘나가는 방송인 동욱님 아니세요?

동욱   야 야 일어나! 아까 다 봤어~ 염력

대구   와 방송물 먹더니 많이 멋있어졌다...

동욱   내가?

대구   아니 옷들이..

동욱   죽고 싶어

대호   왔냐

동욱   왔다!! 오랜만에 왔는데
      사람이 반가워하는 모습이 그따구냐?
      좋은 정보주려고 왔는데...기분이 더럽게 하네
      우리 회사에서 소속 개그맨 뽑는데...그래서 오디션
      정보 알려주려고 왔다.

대호   난 안해, 들어가면 니 후배잖아 싫어

진영   염력 멈춰라 뽀로롱

대호는 멈춘다.

동욱 (속삭이듯)아 저놈의 자존심
     저 방송국은 여자친구 있다고 안들어가고
     이 기획사는 후배 있다고 안 오고
     지가 무슨 연예인인줄 알아

대구 무슨 혼잣말을 해?

대호 무슨 엔터테인먼트 개그맨은 개그맨이야!
     조금 있으면 인터넷으로 채널도 만들고
     개그방송도 만들겠네~ 난 그때 해야겠다

     난 안해
     나는 지금 듣고 나간다

동욱 아무말 안했는데

진영 엔터테인먼트 오디션이라구?

동욱 네..요즘 개그판이 커져서
     엔터테인먼트 소속 개그맨을 뽑는데요
     방송국 공채이외에
     외주작품들 주로 출연할 개그맨 뽑는데요~
     이제 외주 제작사들이 채널도 가지고
     커질 거라던데

대구   그럼 우리도 공채 아니어도
        진짜 방송 할 수 있는 거예요? 형처럼?

동욱   어 그런거야
        공채들이 소화할 수 있는 프로그램 한계도 있고,
        밥 먹었어? 밥이나 먹으로 가자 내가 사줄게
        출연료도 들어오고 하니 부담없이 가자

대구   그래요 나갑시다

진영   그래요..저도 정리하고 따라 나가겠습니다.

대호 들어오며

대호   야!
        밥은 나도 함께 해

동욱과 대구는 먼저 나가고 대호도 따라나간다.

대호   형 빨리와요! 비싼거 시키게

진영   네 아니 어!
        엔터테인먼트 개그맨이라고?
        공채가 아니어도 되는 거구나 그래 도전해 보자

#.6 진영의 무대

암전상태에서

NA. 안녕하세요 정대호입니다. 개그 시작하겠습니다.

피디   다음

IN.

진영   안녕하세요 신진영입니다.
       준비한 개그 보여드리겠습니다.

피디   시작해보세요

진영의 개그가 시작되고 음악이 흘러나온다
진영의 목소리는 들리지 않는다.

정진영의 개그가 끝나고

대호   그래 어떻게 됐어요?

진영   잘은 봤는데.. 어떻게 될지...
       내가 제일 늦게 시작했는데 되겠어

대호   형이라도 되면 좋겠네 대구는 어디갔어요?

진영 오디션 끝나고 바로 편의점으로 갔어요

대호 형은 왜 개그맨이 되려고 해요?

진영 어..그게 이유가 필요한가?
      그냥 웃기는게 좋은데 어떻게 해!
      안 웃으면 못살겠는데
      그래서 개그하는거야
      그럼 너는?

대호 저두 웃기는게 좋아서 그렇죠
      근데 사람들이 저를 웃긴놈으로 보는게 그렇죠

진영 그게 무슨 말이야?

대호 우리가 웃길 줄 아는 사람이지, 인생이 웃긴 놈은
      아니잖아요. 오해 많이 받았어요~
      사실 저도 개그하기전에
      유아교육과 가고 싶었어요~ 어린이들 웃기는 게 좋
      아서, 근데 친구가 그러더라구요 어린이들 그리고
      더 많은 사람을 웃기는게 있어

진영 개그맨

대호 네 그래서 전공을 바로 바꿨죠, 근데 그때부터
      웃긴 사람 취급을 하더라구요

진영　맞어 웃길줄 아는 사람들인데
　　　웃긴놈이 아니라

대호　저는 개그맨이 되면, 어린이방송 꼭 해보고 싶어요
　　　저 애들이 착각하는게 저는 공채 개그맨이 아니라
　　　EBC가고 싶어요

진영　교육티비

대호　네 개그맨이 어린이들을 위해 교육적인 방송을
　　　한다. 그럼 인식이 바뀌지 않을까 싶기도 하고

진영　그렇지 그걸 이해 시키는게 힘들지

대호　형은 집에서 뭐라고 안해요?

진영　응 나는 집에서 뭐라고 안해 너는?

대호　저두 뭐라고 하지는 않죠, 다만 웃길 무대를 못 찾
　　　는게 문제죠

진영　같이 열심히 해보시게
　　　웃기는데 우리 너무 우울하게 있는거 같아

대구가 달려온다.

대구   형 들었어?

진영   뭘?

대구   아니 오디션 본거

대호   왜?

대구   형은 전화 왜 안받어! 동욱이형 전화왔는데...

대호   왜?

대구   형 붙었다는데...

진영   아 거짓말 하지마

대구   진짜야, 핸드폰 좀 켜봐

진영   진짜 ? 진짜 고마워

대구   벌써 신나크루 2명이나 방송 타는건데

대호   형 축하해요.

진영   감사합니다. 감사합니다.

대구   형 대박이다. 동욱이형이랑 방송하겠네~
      GT엔터면 아이돌 많이 나온 회사 아니야?
      대박이다. 형 진짜 대박이다!

진영   고마워 고마워

대호는 조용히 밖으로 나간다.

진영   대호... 대구야 너 가게는

대구   맞다 나 알바하다 왔다. 다시 갈게

진영   어 얼렁가 짤리지 말고

진영은 홀로남아 전화기를 켠다.
그리고 전화를 한다.

진영   여보세요 저예요!
      서울말쓰니까 못알아들으시네요
      아들내미입니다
      잘 지내요. 어머니 나 기획사 개그맨 했어요.
      GT라고 유명한덴데..
      어머니가 GT를 안다고 진짜?
      이제 고생끝났어요. 진짜 열심히 할게요

진영이 달려 나가고 대호가 매진임박 판을 들고 들어온다.

진영   대호 나 먼저 간다.

대호   어 형! 축하해!

        (울리는 전화)

        여보세요?
        그...그래?
        알려줘서 고마워

        그리고 뭐?

        알겠어...

암전

#.7 다시 또 무대

대호가 극장에서 있다. 대구는 일을 마치고 들어온다.

대구   형 뭐해요?

대호   공부

대구   무슨 공부요

대호   몰라

대구   형 공채 떴어요

대호   무슨 공채 어딘데...

대구   NBS요

대호   그래 보자...

대구   진짜?

대호   어! 안봐 안봐

대구   지영이랑 헤어진 줄 알았네 NBS본다길래
          형 그럼 저 혼자 봅니다.

대호   어...그래...어...알고 있을께..

대구   형 저 이번에 꼭 붙어야 해요. 그니깐 같이 봐요

대호   NBS잖아 안봐 그리고 너혼자해도 잘할 수 있어..
        너 바람잡는거 보면 충분히 가능성있어
        너 바람잡는거 보면, 진짜 연예인 같아
        그러니깐 꼭 봐라 알았지

대구   형 진짜 안볼거예요?

대호   아 안본다니깐

대구   형!!

대호   아 그만 이야기해

대구   형 진짜 나 혼자 봐요

대호   알았다고.

대호 나간다. 대구는 자신의 아이디어노트를 꺼낸다.

그리고 대사연습을 시작한다.
자신이 짠 코너를 연습하기 시작한다.
조명은 대구를 비추며 개그맨 공채 시험장으로 전환된다.

대구   안녕하세요 NBS 공채 개그맨에 지원한
        지원자 임대구입니다. 시작하겠습니다.

대구의 개그가 시작된다.
음악이 흘러나오고 대구의 개그는 들리지 않는다.

대구   이상입니다.

암전

#.8 긴장의 무대

소극장에 사람들이 모여있다.

대호와 대구는 TV로
동욱이와 진영이의 활동모습을 보고 있다.

'내가 여기 반장이야!'

하지만 웃는 모습은 없다.
웃긴데 안 웃고 있는 모습이다.

대호   야 진영이형 많이 늘었네
       제일 늦게 와서 방송도 타고, 그래도 기분은 좋다
       아는 사람들 티비에 나오니깐

대구   동욱이형 좋겠어요
       이쁜 여자아이돌과 방송하고 부럽다
       나도 공채되면 꼭 아이돌하고 방송 해야지

대호   뭐가 좋냐? 사람들이 알아보지도 못하는데
       그래도 대구는 꼭 되라
       그래 꼭 공채되서 나도 좀 방송에 보내주고,
       알겠냐?

대구   네..

대호   그나저나 공채 발표일이 언제야?

대구   10일이요

대호   야 오늘 10일인데...

대구   알고 있어요. 부정탈까봐 말 안했어요

대호   무슨 부정을 타 내가 부정타게 하는 사람이냐?

대구   확인해 볼께요

대호   그래 되면 좋은거고, 안되면 나랑 GBS시험보고

노트북을 가져오는 대구

대구   자 수험번호를 입력하시오

대호   빨리 봐라, 어차피 탈락이겠지만

대호   10조 30번 임대구

수험표를 대호에게 건네고 대호는
마우스로 노트북을 클릭한다.

대호   세상 좋아 졌다. 우리 시작할 땐 노트에 썼는데

이제는 대본을 노트북으로 하고, 얼렁 확인해요

대구   형 조용히 좀 해봐요

대호   나중에 키보드도 다 화면속으로 들어가서
      화면터치하는 노트북도 나올거야~
      간단하게 패드형태로 이름은 패드나 음..터치하니깐
      탭! 암튼 그런거 나올거 같아
      발표 나왔냐?

대구   아.....

머리를 감싸쥐는 대구
대호는 대구를 토닥인다.

대호   왜? 힘들게 3차까지 갔는데..떨어지니깐 슬프냐?

대구   아....

대호   왜그래 임마!

대구   형....형!!!
      저요...저...붙었어요

대호   정말!! 그래 축하한다..
      축하해 드디어 공채 우리도 공채가 나오는구나!!

대구   형 고마워요 진짜 고마워요

대호   내가 뭘

대구   진짜 형이랑 이렇게 극장에서 고생한
        보람이 있네요

대호   축하해. 얼렁 집에 전화해! 공채 개그맨이라고

대구   네 형...여보세요 엄마
        나 공채야! 공채개그맨이라고 공채!!
        어~~

전화를 받으며 나가는 대구
대호 전화를 받는 대구를 부럽게 바라본다.

#.9 대호의 무대

텅빈 무대 혼자만 있다.
그리고 책을 보고 있다. 뭔가를 생각하는 대호

대호   네 대표님 극장 정리 다했습니다.
       다들 목표를 이룬건데
       뭐가 걱정이예요~

       학교요? 네 이미 준비 해놨죠
       당연히 저는 항상 일등할 준비가 되있습니다.

       아 저 정대호예요 정대호
       일등만 하는 정대호!
       네 네 알겠습니다. 들어 가십시요

       엄마 네~ 준비 다했어요
       약속 지켜주셔서 감사해요
       이제 제가 약속을 지켜야 할 시간 인거 같아요

       엄마 아빠 항상 고맙고 감사하고 사랑합니다.
       감사 합니다. 공부 열심히 하겠습니다.

대호는 무대에서 했던 바람잡이 멘트를 시작한다.
그리고 멘트와 함께 암전
무대에 스크린이 내려오고

동욱. 진영, 대구의 활동모습이 보여진다.

영상이 사라질 때
객석에서 모니터를 하는 대호의 모습이 보인다.

대호객석에서 일어나서 강의를 시작한다.

대호   자 여러분 방금 보신 개그는 캐릭터를 활용한
       개그들입니다. 억지로 우스운 캐릭터를 만드는 것
       이 아닌, 자신의 본래 캐릭터를 활용해 개그로 표
       현한 것입니다. 의도적으로 웃음을 이끌어내는 것
       이 아니라 자신의 모습에서 캐릭터를 찾아내는 것
       이죠! 세 사람다 캐릭터를 베이스로 연기를 하고
       있죠? 연기를 하며 자신의 개그표현요소를 활용하
       는 것입니다. 개그맨은 개그표현요소를 많이 가지
       고 있기 때문에 개그뿐아니라 라디오와 드라마 등
       다른 분야에서 활동할 수 있는 겁니다. 개그맨

객석의 질문

객석   교수님 그럼 잘 생긴 캐릭터는 어떻게 하나요?

대호   거울 보고 오세요, 아니 장난이고
       만약 본인이 캐릭터를 잡기 힘든 인물이라면
       지식의 캐릭터에 변형을 주세요,
       잘생기면 공부도 잘합니까?

잘생겼는데 공부를 못하는 캐릭터 어떠세요?

객석 전 실제로도 공부를 못하는데...

대호   관객은 모릅니다. 방송의 모습만 보지
       자 수업 끝!

무대로 올라가는 대호

대호   아 웃기고 싶다.

암전

#.10 힘이든 무대

무대엔 공채가 된 동욱과 대구 진영이 있다.

진영   야 NBS 너네 시청률 아주 바닥이던데

대구   형 GBS가 영원할거 같아? 곧 우리가 따라 잡아

동욱   아우 무슨 공개 개그야 그냥 나처럼 라디오나 해
       아이디어 짜기 힘들지도 않냐?

진영   그러고 싶다. 매일 아이디어 회의에 집에도 못가고

대구   형 요즘 안 나오던데..

진영   안 나오는게 아니라 녹화 떴는데 편집!

대구   출연료는?

진영   너네는 주냐?

대구   우리도 편집되면 안나오지...

진영   사람들은 개그맨 되면 월급 나오는 줄 아는데
       우리 회당 출연료잖아

대구　형네는 얼마요?

진영　우리 50

대구　우리는 40

동욱　나는 30 근데 너희처럼 아이디어는 안짜
　　　작가님이 사알짝 정리해서 주시지
　　　그것만도 얼마나 감사한지, 니들 진짜 고생한다.
　　　아이디어 짜지, 코너검사 3번에 녹화뜨고
　　　편집될까 조마조마 하고 그리고 나보다 겨우
　　　10만원 더 받어? 난 개그맨 쉬고, 라디오가 좋다

진영　우와

대구　대박이네. 나도 라디오 하고 싶다.

진영　너네는 작가가 대본 써주신다고?

동욱　아니요 말 했잖아~ 대본 같은 틀을 준다고
　　　그래도 대사는 다 있어, 마음껏 바꾸면 되거든
　　　이게 바로 생방송이라 이거지

대구　그래요...
　　　나는 개그맨 되면 대본 누가 써줄 줄 알았어
　　　대본 주는 연기 하고 싶다

진영   아무나 개그맨 하냐? 다 대본 쓰고 검사받고

대구   찍고 편집되고? 형은 기획사 있지 왜 나왔어요?

진영   나는 목표가 GBS야! 개그는 GBS 아니냐!!
      그래서 멋지게 기획사 사표 쓰고 GBS공채 된거지

동욱   그래서 내가 소개시켜준 기획사 때려치고
      10년이나 걸려서 공채 됐냐!!

대구   그러게
      형 다시 복귀하는데 한 10년 걸린거 같은데..

진영   근데 너는 NBS 왜 그만 두려구

대구   형이랑 똑같아요.
      개그는 역시 GBS! 나도 GBS의 꿈을 품고

동욱   부러운 소리들 한다 부러운 소리들해

대구   잠깐만요...형 나 좀 나가볼께요

진영   왜?

대구   잠깐만요, 방송국에서 전화가 왔어요
퇴장하는 대구

진영   뭐지 NBS후배한테 문자왔는데...헐...

동욱   뭐 땜에 그래? 어 ...뭐여 왜?

진영   야 이거 난감한데...NBS..

동욱   NBS개그프로 폐지한데? 장난하지마

진영   (한참을 망설이다) 응...

동욱   뭐? 진짜? 아! 시청률...바닥...

진영   갑자기 미안해 지는데...

동욱   어...대구한테 말하지마

대구 힘이 빠져 들어온다.

진영,동욱   대구야...

대구   형...

진영과 동욱은 대구를 안아 준다.
그리고 대구의 울음소리와 함께 조명은 어두워 진다.

#.11 도전의 무대

진영이와 대구가 연습을 하고 있다.

동욱   뭐하냐? 지겹지도 않냐? 무슨 또 공채시험을 봐

대구   아니 GBS 가 망하겠냐고, 원조방송인데!
       마지막 열정을 불태워 봐야지

동욱   대단하다 무슨 공채가 대수라고,
       그냥 나처럼 오디션 보고
       여러 방송을 좀 해봐, 그래야 스트레스도 없지
       나는 방송만 해도 먹고 산다 진짜

진영   그래 좋겠다. 방송인님!
       나는 대구를 꼭! GBS 입사 시킬거야!

동욱   둘이 계속 개그짜고 좋겠네...붙기만해

진영   GBS가 없어 지겠냐? 나도 기획사를 때려친 이유
       가 있어! 대구 또 상처받으면 안돼!

동욱   네...네 형
       어 방송국이네~ 여보세요 네...네...아 씨..

진영   갑자기 왜?

동욱   아...라디오 폐지한데...

진영   아니 무슨 방송하는 사람들이 쓰레기도 아니고,
       무조건 버리긴 만해
       아 진짜 미리 예고를 해줘야 정리를 하지

       개그맨이 웃길줄 아는 사람이지,
       웃긴 사람들인줄 아나!
       왜 우리를 이렇게 쉽게 버려

동욱   대호가 한말인데 이제 이해 된다.
       아 열받네...나 이제 방송안해

진영   동욱아 대구랑 같이하자, 동욱아!

씩씩거리며 동욱이 나간다. 진영 쪽 조명이 꺼지면
객석에 불이 들어온다

대호   여러분 GBS 공채가 떴습니다.
       여러분도 이제 도전 할 때가 됐습니다.
       할 자신 있죠?

객석   네 제가 이번에 공채에 꼭 붙겠습니다.
       제가 신인상 받으면 꼭 교수님 이름
       꼭 불러드리겠습니다.

대호   제발 그럽시다. 제발 신인상 좀 받아봐
       자 그럼 여러분 공채준비 잘하시고
       우리 꼭 최종까지 가서 역사를 써봅시다

객석   네!

대호   제발 좀 되라...제발
       나도 웃기고 싶다. 나 대신 다들 웃겨주라

       여보세요?

       어 아들...
       아빠! 옛날에 개그맨 이었지
       어디 나왔냐구? 어 신나패밀리, 컬쳐패밀리
       엔터테인먼트라고 그렇게 있어..
       티비에 나온다고 다 개그맨아니야
       극장에서 공연하는 사람도 개그맨이야
       그리고 아빠 우당탕탕 골목대장 MC로 방송도 했어
       뭐 공채?

       누가 그래? 누가 알았어 울지마 어!!

       하...나도 시험을 볼까?
       내년부터 나이제한 있다는데

무대의 조명이 밝아지면

진영　자　대구야 시험 잘보고, 마지막이라고 생각하고
　　　도전이라고 생각하지 말고 마지막이라고 생각해
　　　이번 공채 끝나면, 나이 제한 생긴다 알았지!

대구　그럼 그 마지막 내가 붙겠습니다.
　　　내가 싹다 쓸어버릴께

동욱　꼭 붙어~! 사라질일 없는 GBS가자!

대구　형도 다른 방송 오디션 잘보고

대호 수험표를 들고 걸어오다 마주친다.

대호　어...형...

진영　대호 아냐?

대구　형

대호　오...오랫만이네

동욱　(수험표를 보고) 대호야 시험 보러 왔어?

대호　아 아니...우리 학생들 거야 응원하러 왔어

진영　그래 니 이야기는 들었어 연기 가르친다며, 지영선

　　　　　　배한테 들었어, 뭐 학교도 가고 학원도 차렸다며

대호　　지영? 누구지? 아 한지영, 한지영 잘 지내지?

대구　　그래도 형이 제일 좋네
　　　　나 프로그램 폐지된거 알지? 시험보러 왔는데

대호　　그러게 방송이 사라지다니...
　　　　NBS 개그프로 오래했는데...

진영　　그렇지 뭐 방송이 이제 남은건 GBS 니깐
　　　　대구도 도전해 봐야지

대호　　그래요, 우리 애들도 붙고 대구도 붙고, 선발되면
　　　　우리 애들 잘 부탁해요 가볼께요

대호는 가다가 수험표를 구겨 버린다.

암전

잠시 후

와 붙었다!! 진영이와 대구의 목소리가 들린다.

소리가 들리는 쪽을 바라보는 대호
암전

#.12 새로운 무대

진영과 대구는 아이디어 회의를 하고 있다.

진영   여기서 이렇게 하는게 더 웃기지 않을까?

대구   그래요 여기서는 이 대사 치는게 좋은데

진영   이거 동욱이가 딱 인데...

대구   어쩔 수 없죠 동욱이형 공채가 아닌데
        멀리 있지만 그래도 같은 GBS 라디오 해서
        다행이다. 물론 지방이지만

진영   그러게 같은 방송인데 지방이네
        암튼 우리 다 어떻게 든 끌어보자

대구   형 왜 그래요?

진영   아 녹화 날만 되면 긴장이 된다니깐

대구   무슨 개그맨이 녹화날 떨어요

진영   잘 모르겠어...이게 불안한게 있지.
        너무 잘하고 싶으니까 더 떨리는 것같고
        그리고 하도 편집이 되기도 하고

개그를 하면서도 불안해
내가 웃길 수 있을까? 못 웃길까 걱정이...
여보세요 네 선배님
네...네..네 참여 하겠습니다. 대구야!
나 선배님이 코너 인원 모자라다고 들어오래
대사 한마디래
오도시 준다고 대박 코너니깐
날려 버리고 올게

대구　그래요 다녀와요
　　　(전화) 어 동욱이형 네 방송국이요.
　　　오늘은 어디세요? 아 전주 멋지다
　　　동욱이형 그렇게 될 줄 알았다니깐
　　　그래요. 인간복사기 디제이 손동욱!
　　　형은 그런 호탕한 모습이 좋아!
　　　라디오 금방 잘 나갈 줄 알았어요.
　　　그래요 진영이 형은 코너검사요
　　　네 자주좀 전화하구요
　　　네...네...

진영고개 숙이며 들어온다.

대구　왜 이렇게 빨리들어와?

진영　아...돌겠다

대구   왜그래 대박 코너라며 까였어?

진영   아니...

대구   그게 아니면 뭐

진영   대구야..,

대구   왜!

진영   대구야...

대구   아 액!

진영   GBS 개그프로 폐지 결정됐데...

대구   뭔 소리야 새 코너 아이디어야?
       코너 이름이 사라진 개그프로폐지야?

진영   거짓말 아니야 진짜야

대구   확! 개그치지마 지금 우리가 유일한데...

진영   진짜야 진짜 사라진데

대구   여보세요? 어 형

뉴스에 뭐가 나와?
어...아니야 걱정마 안사라질 거야

진영   여보세요...어 맞어...맞다고

대구   형 이제 우리 어떻게 해?

동료들의 전화가 울려댄다. '폐지맞아? 폐지맞아?'

객석이 밝아지며

대호   여러분 걱정하지마세요
        개그프로가 사려졌다고 해서
        여러분의 일자리가 사라지는 것은 아닙니다.
        여러분은 오히려 폭이 더 넓어진 거예요
        개그를 활용하는 다양한 프로그램에 도전 할 수 있
        는 겁니다.
        인터넷 플랫폼이라던지, 지역방송채널, 케이블
        저 처럼 리포터나 강사가 될 수...

객석   교수님 저 자퇴 하겠습니다.
        공채가 꿈이었는데 꿈이 사라졌습니다.

대호   아 그게 아니라니까요!
        개그를 활용하는 다른 프로그램들에
        여러분이 도전을 하면 되는겁니다!

객석   공채가 아니면 어떻게 방송국에 들어갑니까?
공채가 되도 티비에 나오기 힘든 판에..
교수님 저 그냥 다른 일 하겠습니다.

대호는 무대로 올라가고 #.1의 장면으로 전환된다.

암전

진영   그래 은퇴식을 하는 거야! 우리끼리라도

대구   나도 하고 싶어 마음껏 웃기지도 못했거든

동욱   그래 나도 라디오하면서 웃기고 싶더라

대호   그래서 준비는 되어 있어?

진영   응...이 극장
내가 처음 너희를 만난 곳
그리고 우리를 개그로 뭉치게 한 곳

대호   언제까지 빌렸는데 밀린 월세는?

진영   여기도 곧 없어진데... 보증금으로 다 털기로 했어

대구   아쉽다. 우리 개그의 추억이 여기 다 담겨있는데

동욱   그러게 영원할 줄 알았는데

진영   그래서 편하게 하자고! 할거야 말거야

동욱   난 해

대구   나도 해

대호   나도 한다!

진영   그럼 한번해보자!
        개그맨은 웃음과 감동을 주는 사람이라는 걸
        보여주자! 좀 해보자~
        우리는 웃길 줄 아는 사람들이지
        웃긴 놈들이 아니잖아

대호   내 멘트 잘 쓴다? 그래 나도 웃기고 싶어

대구   저두요 저도 웃기고 싶어요

동욱   나는 징그랍게 웃기고 싶어

진영   그럼 됐네

대구   뭐가?

진영　　우리 공연이름

동욱　　웃기고 싶다

진영　　그래

대호　　웃기고 자빠졌네가 더 좋은거 같은데?
　　　　아 이거는 웃기고 JOB빠졌네! 진로콘서트 좋다

진영　　그래 너 혼자 자빠지시고
　　　　우리 우리만의 은퇴식을 만들어보자!
　　　　아니 은퇴식이아니라 데뷔라고 하자~
　　　　새로운 공연의 데뷔 코미디씨어터

대구　　와 맨날 데뷔만해 저 형은!
　　　　코미디씨어터 감동과 웃음을 주는
　　　　유치하게 파이팅 이런거 하지마라

진영　　할건데
　　　　내가 '웃기고' 하고 다같이 '싶다' 하는거야

진영　　웃기고~

모두　　싶다!!!

암전되고

방송에서 활동했던 그들의 영상이 재생된다.
자신의 영상에 맞춰 배우들이 다시 등장하기 시작한다.

진영   여러분 저희 코미디씨어터
데뷔무대를 찾아 주셔서 감사합니다.
영원할 줄 만 알았던 개그프로그램들이 모두 사라
졌습니다. 저희는 여전히 웃기고 싶습니다.

여러분에게
웃음이 가득한 새로운 연극으로
다시 웃음을 드리고 싶습니다.

이제 안녕히 돌아가십시오
그리고 기억해 주십시오

우리나라에
개그맨이라는 직업이 있었다는 것을 감사합니다.

배우들 등장하여 인사로 마무리한다.

암전

개그맨이 되고 싶다면?

1.우선 연기공부를 열심히 해야 한다.
  개그는 기초공사가 잘되어야 한다.진지한 연기로 기초공사를 한 후
  개그의 핵심으로 웃음을 이끌어 낸다.

2.아이디어를 많이 생각해라
  공연과 방송의 차이는 연속성이다. 공연은 1회를 만들고 지속할 수
  있지만 방송은 매주 새로운 작품을 만들어야 한다.

3.개인기를 만들어라
  작품으로 승부를 보는 것은 당연하지만, 자신이 활용 될 수 있는 곳
  에 꼭 필요한 개인기를 만들어라.

그리고
웃긴 사람이 아닌, 웃길 줄 아는 사람이 되라

작가의 말
나는 전공이 코미디연기이다. 많은 동문들이 개그맨으로 데뷔하였다. 하
지만 무대의 주인공이 되어 스포트라이트를 받는 개그맨들은 일부에 불
과 했다. 이름이 알려지지 않은 개그맨들, 관객들은 웃기다! 안 웃기다!
단순히 평가하고 지워버리지만, 난 그들의 노력과 고민 그리고 도전을
알고 있다. 이 연극을 통해 사람들이 몰랐던 부분을 많이 알았으면 한
다. '웃겼으면 떴지'하면서도 우당탕탕 탐험대를 인터넷으로 찾아보는
<지오와 지유> 아빠가 너무 고맙고 사랑한다. 지금도 무대와 행사장에
서 사람들을 웃기고 있을 선배, 후배, 제자 개그맨들, 그리고 모든 개그
맨들, 그들에게 이 말을 전하고 싶다.

'개그맨! 당신들은 최고의 예술가입니다.'

\- 신대호-

2001년 창단한 개그팀 <신나>는
코미디연기를 전공한 개그맨 지망생들로 구성된 개그팀으로 지역에서
개그공연을 지속적으로 진행하였다. 공채 개그맨으로 데뷔한 후 방송활
동하거나 공채가 되지못한 경우 배우, 방송인으로 활동하고 있다. 현재
는 <스마일브라더>라는 팀으로 지역문화예술교육, 거리개그공연, 레크리
에이션, 진로특강, 공연MC로 활동하고 있으며, 다시 개그로 함께 만날
그날을 기다리며 열심히 활동하고 있다.